家庭用 せんきょく記録

（1人〜4人用）

**このノートで
やること**

つぎの投票にむけて、政治の情報を
毎年65個記録してのこす

**5つの記入欄の
使い方**

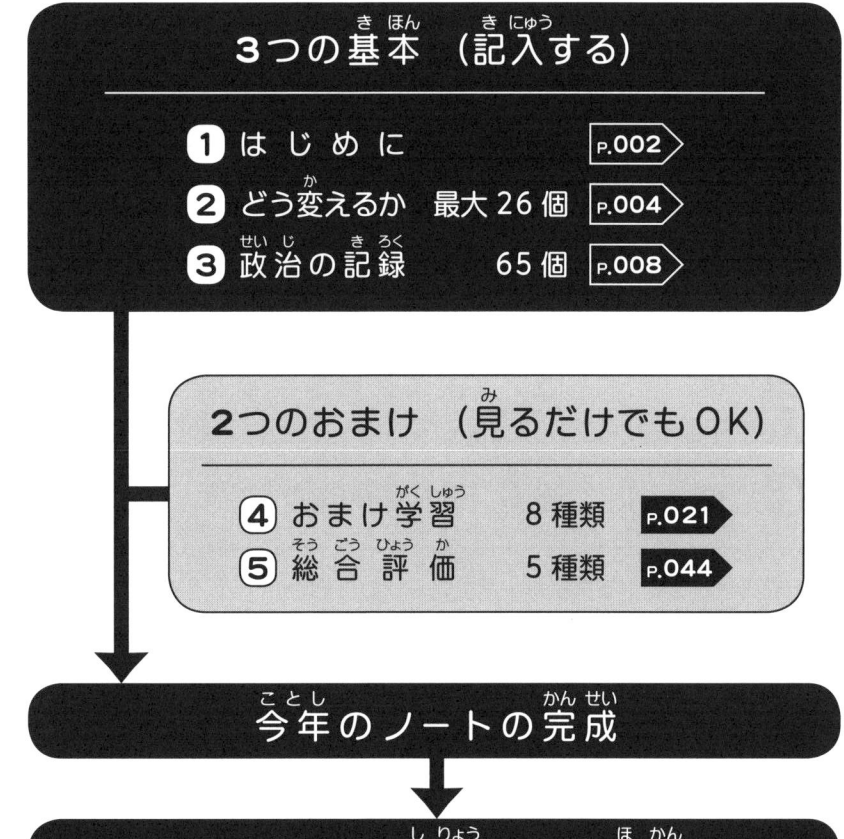

3つの基本 （記入する）

1 はじめに　　　　　　　　　P.002
2 どう変えるか　最大26個　P.004
3 政治の記録　　65個　　　P.008

2つのおまけ （見るだけでもOK）

4 おまけ学習　8種類　P.021
5 総合評価　　5種類　P.044

今年のノートの完成

オリジナル資料として保管

記入ペースの目安　　年間1冊

適した筆記具

表紙 …… 油性ペン
本文 …… えんぴつ、ボールペン

1 はじめに
2 どう変えるか
3 政治の記録
4 おまけ学習
5 総合評価

どう変えるか

政治の記録

おまけ学習

総合評価

● 記入者が投票できる、次の選挙はいつか？*1

調べて記入する。

地方選挙	❶	市区町村	議会議員選挙	年	月
	❷	市区町村	長選挙	年	月
	❸	都道府県	議会議員選挙	年	月
	❹	都道府県	知事選挙	年	月
国政選挙	❺ 第　　回		衆議院議員総選挙　解散しない場合は	年	月
	❻ 第　　回		参議院議員通常選挙	年	月

日程の決まっている再選挙・補欠選挙がある場合

❼	選挙	年	月

その他の選挙や投票がある場合　例）生徒会、政党代表、住民投票など

❽	選挙・投票	年	月

＊1　任期満了にともなう次の選挙を記入する

学習・調べた日　　　　　年　　　月　　　日
情報源

	年	年	年	年	年
1月					
2月					
3月					
4月					
5月					
6月					
7月					
8月					
9月					
10月					
11月					
12月					

変えたいこと

政治の記録

おまけ学習

総合評価

2 ［　　　　年版］ どう変えるか

● まず、記入者がこの社会をどんな社会にしたいのか、それをはっきりさせる
● そのために、今の社会で変えたいこと、まだ解決できていない問題をこの欄にメモしていく

問題の種類や大きさや実現する可能性に関係なく書く

個人・家庭・学校・職場・地域・国内外を問わず、「変えたいこと」「なくしたいこと」「今の不安や悩み」「おかしいと思うこと」を、思いついた時に書く

問題が解決したらチェックする

記入例

20××			
5	28	交通事故がなくならないこと。できるだけ運転しないで暮らせる社会にしたい。	☐ 解決済み
6	3	私たちがいなくなった後で、重度障害のうちの子がどう生きていけるのか不安	☐ 解決済み
6	10	選挙区間の「一票の格差」。選挙区の有権者数や獲得票数に応じて、ひとりの国会議員が国会で持つ票を1.23票や1.68票に調整すれば「格差」はなくなるのではないか？ 衆議院本会議の採決も押しボタン式にすれば票の集計は可能。	☐ 解決済み

			☐ 解決済み
			☐ 解決済み
			☐ 解決済み
			☐ 解決済み
			☐ 解決済み
			☐ 解決済み
			☐ 解決済み
			☐ 解決済み
			☐ 解決済み
			☐ 解決済み

□ 解決済み

□ 解決済み

□ 解決済み

□ 解決済み

□ 解決済み

□ 解決済み

□ 解決済み

□ 解決済み

□ 解決済み

□ 解決済み

□ 解決済み

□ 解決済み

□ 解決済み

□ 解決済み

□ 解決済み

□ 解決済み

● 変えたくないことも書く欄

● 「変わってほしくないこと」

　「このままにしておいてほしいこと」はなにとなにか？　書いてみる

2 どう変えるか

4～6ページに書くことがすぐに思いつかない場合	

以下の質問をチェックしてみる	8ページから先に始めてもOK

今の社会には変えたいことが	☐ ある　　☐ ない　　☐ わからない
この世界には未解決の社会問題が	☐ ある　　☐ ない　　☐ わからない
不安・悩み・困っていることが	☐ ある　　☐ ない　　☐ わからない
人から助けられた経験	☐ ある　　☐ ない　　☐ わからない
信頼できる人がこの世に	☐ いる（　　　　　　　　　　）　　☐ いない　☐ わからない

家族や子供が悩んでいる時は気づきたい	☐ 気づきたい　　☐ 気づきたくない
家族も子供もわたし自身も、誰かにだまされずに判断できる知識や考え方を身につけていたいと思う	☐ 思う　　☐ 思わない　　☐ わからない ☐ 身につけていたいし、そのためには、事実をできるだけ正確に伝える情報源が必要だと思う
わたし自身が相談する時や、誰かにだまされているように見える時はこうしてほしい	☐ 遠慮なく本音の意見を言ってほしい ☐ 本音は聞きたいが、やさしく言ってほしい ☐ 本音は聞きたくない・黙って見ていてほしい

日本の政治はすべて今のままで	☐ よい　　☐ よくない　　☐ わからない
首長や議員の選び方は今のままで	☐ よい　　☐ よくない　　☐ わからない
投票したい適当な候補者が	☐ いる（　　　　　　　　　　）　　☐ いない　☐ わからない
なくしたい／守りたい制度が	☐ ある（　　　　　　　　　　）　　☐ ない　☐ わからない
なくしたい／守りたい法令が	☐ ある（　　　　　　　　　　）　　☐ ない　☐ わからない
政治を分担する人に求められる条件	☐ ある（　　　　　　　　　　）　　☐ ない　☐ わからない
日本のよいところ／よくないところ	／

はじめに

❷ どう変えるか

政治の記録

おまけ学習

総合評価

007

- 記入者が住む自治体と国の政治を記録する欄
- 政治のニュースを一年間で 65 個記録して、支持することと、支持しないことにわけておく
- 65 個記録し終わったら、今年の資料として保管して、つぎの投票の時に参考にする

記入例

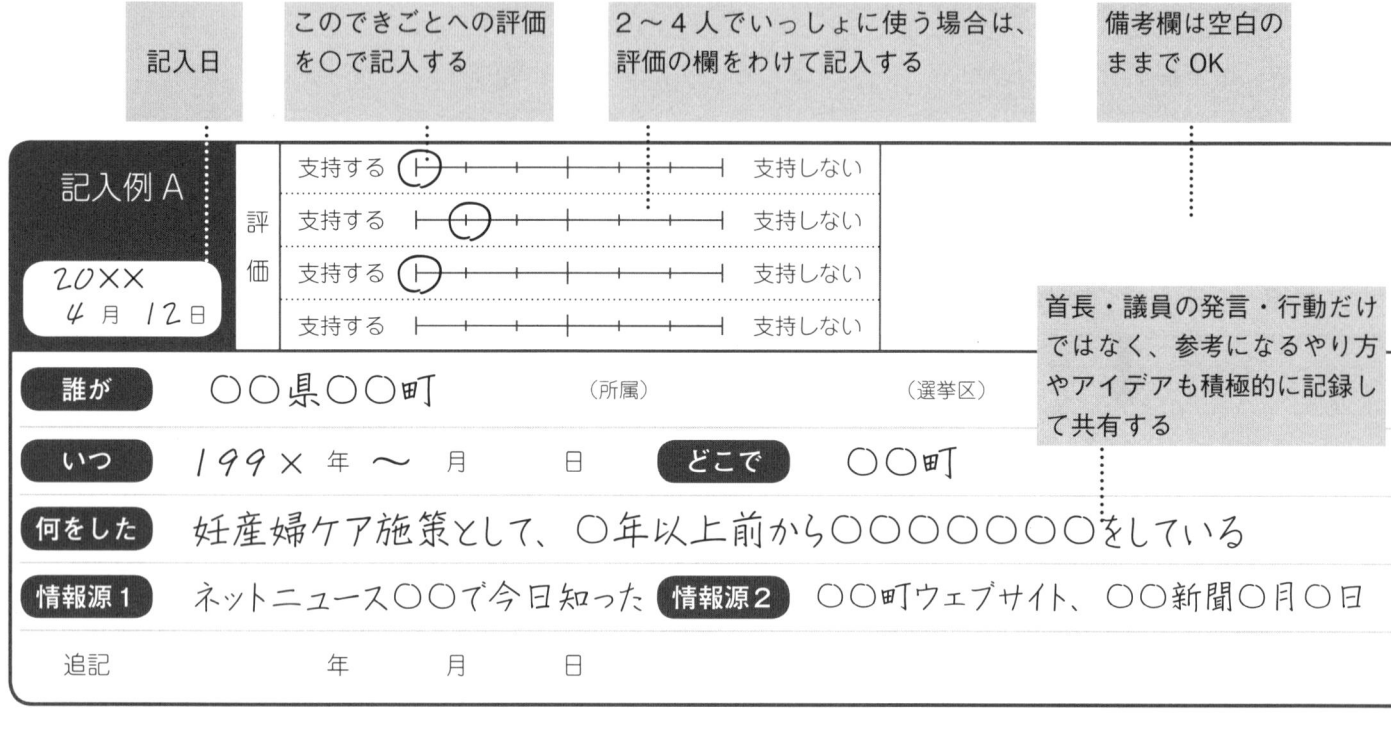

記入日

このできごとへの評価を○で記入する

2～4人でいっしょに使う場合は、評価の欄をわけて記入する

備考欄は空白のままで OK

首長・議員の発言・行動だけではなく、参考になるやり方やアイデアも積極的に記録して共有する

記入例 A

20××
4 月 12 日

評価	支持する	支持しない
	支持する	支持しない
	支持する	支持しない
	支持する	支持しない

誰が	○○県○○町	(所属)	(選挙区)
いつ	199× 年 ～ 月 日	どこで	○○町
何をした	妊産婦ケア施策として、○年以上前から○○○○○○○をしている		
情報源 1	ネットニュース○○で今日知った	情報源 2	○○町ウェブサイト、○○新聞○月○日
追記	年 月 日		

記入例 B

4 月 18 日

評価	支持する	支持しない	・質問にまともに答えていなかった
	支持する	支持しない	・○○の科学的理解が充分ではない
	支持する	支持しない	・社会全体の長期目標と、県の予算
	支持する	支持しない	で県が今やることを区別できていない

誰が	○○○○県会議員	(所属) ○○党	(選挙区) ○○市、○○町
いつ	20×× 年 4 月 18 日	どこで	14 時頃、○○駅前
何をした	「○○党は○○をやった」「○○を導入する」と発言		
情報源 1	本人の演説を直接聞いた	情報源 2	選挙公報、本人のウェブサイト
追記	20×× 年 4 月 20 日	うちの親いわく「市議の頃から変な人だけど、優しいところもある。2 年前には酔っぱらって○○○した」	

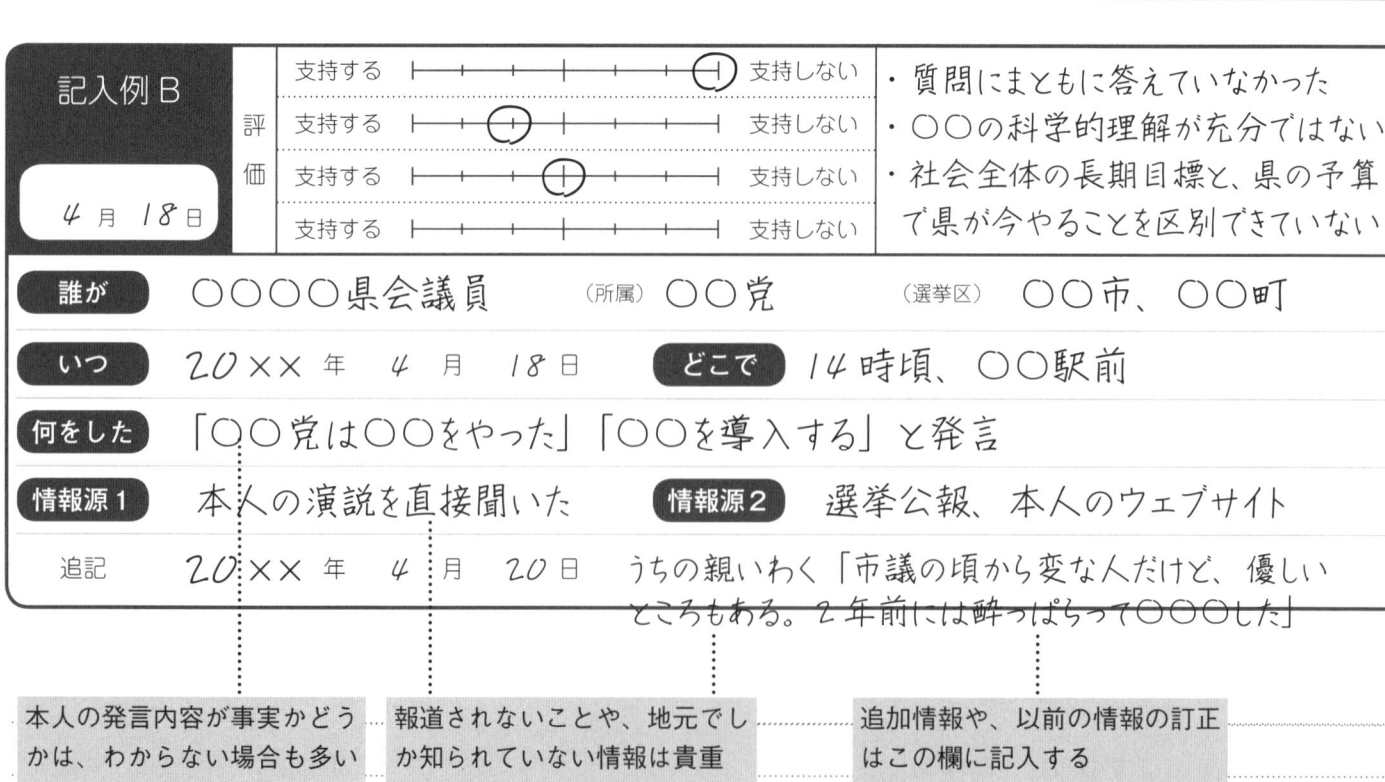

本人の発言内容が事実かどうかは、わからない場合も多い

報道されないことや、地元でしか知られていない情報は貴重

追加情報や、以前の情報の訂正はこの欄に記入する

記入例C

評価		
支持する ├──┼──┼──┼──Ⓧ┤ 支持しない		
支持する ├──┼──┼─Ⓧ─┼──┤ 支持しない		
支持する ├──┼─Ⓧ─┼──┼──┤ 支持しない		
支持する ├──┼──┼──┼──┤ 支持しない		

5 月 16日

家族や未来の誰かがこのノートを見た時に、検証できる情報源をできるだけ書く

誰が	○○○○大臣	（所属）○○党	（選挙区）○○県○区（○○市）
いつ	20×× 年 5 月 16 日	どこで	衆議院○○委員会
何をした	内閣提出法案○○について答弁中、「○○○○○」と発言		
情報源1	国会中継 5/16	情報源2	○○放送 ○時のニュース
追記	20×× 年 ○ 月 ○ 日 衆議院本会議で可決		

記録 1

評価		
支持する ├──┼──┼──┼──┤ 支持しない		
支持する ├──┼──┼──┼──┤ 支持しない		
支持する ├──┼──┼──┼──┤ 支持しない		
支持する ├──┼──┼──┼──┤ 支持しない		

月　日

誰が		（所属）	（選挙区）
いつ	年 月 日	どこで	
何をした			
情報源1		情報源2	
追記	年 月 日		

記録 2

評価		
支持する ├──┼──┼──┼──┤ 支持しない		
支持する ├──┼──┼──┼──┤ 支持しない		
支持する ├──┼──┼──┼──┤ 支持しない		
支持する ├──┼──┼──┼──┤ 支持しない		

月　日

誰が		（所属）	（選挙区）
いつ	年 月 日	どこで	
何をした			
情報源1		情報源2	
追記	年 月 日		

はじめに

どう変えるか

❸ 政治の記録

おまけ学習

総合評価

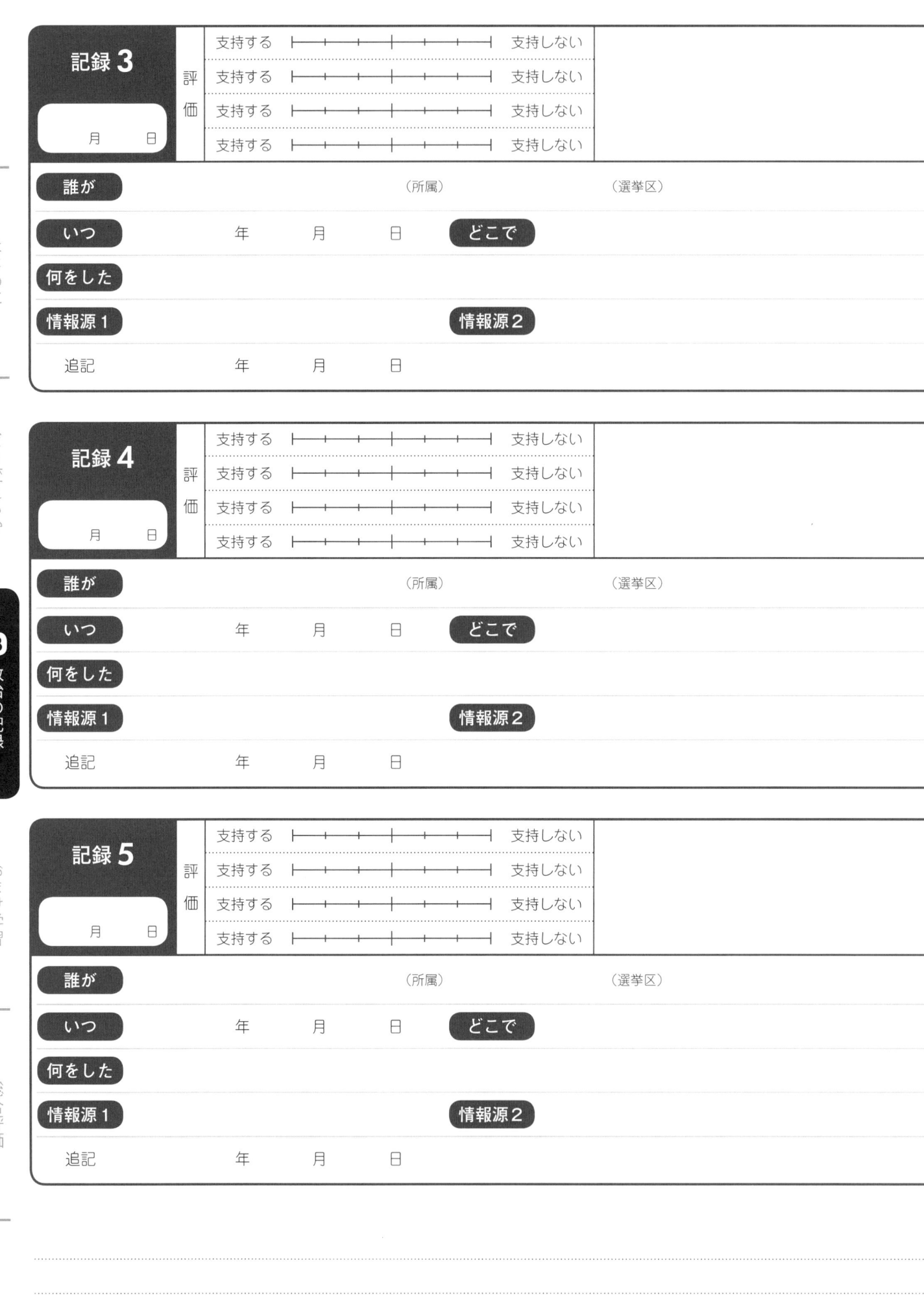

記録 3

月　　日

評価		
支持する	┝━━┿━━┿━━┿━━┿━━┥	支持しない
支持する	┝━━┿━━┿━━┿━━┿━━┥	支持しない
支持する	┝━━┿━━┿━━┿━━┿━━┥	支持しない
支持する	┝━━┿━━┿━━┿━━┿━━┥	支持しない

誰が　　　　　　　　　　　　（所属）　　　　　　　（選挙区）

いつ　　　年　　月　　日　　どこで

何をした

情報源1　　　　　　　情報源2

追記　　　年　　月　　日

記録 4

月　　日

評価		
支持する	┝━━┿━━┿━━┿━━┿━━┥	支持しない
支持する	┝━━┿━━┿━━┿━━┿━━┥	支持しない
支持する	┝━━┿━━┿━━┿━━┿━━┥	支持しない
支持する	┝━━┿━━┿━━┿━━┿━━┥	支持しない

誰が　　　　　　　　　　　　（所属）　　　　　　　（選挙区）

いつ　　　年　　月　　日　　どこで

何をした

情報源1　　　　　　　情報源2

追記　　　年　　月　　日

記録 5

月　　日

評価		
支持する	┝━━┿━━┿━━┿━━┿━━┥	支持しない
支持する	┝━━┿━━┿━━┿━━┿━━┥	支持しない
支持する	┝━━┿━━┿━━┿━━┿━━┥	支持しない
支持する	┝━━┿━━┿━━┿━━┿━━┥	支持しない

誰が　　　　　　　　　　　　（所属）　　　　　　　（選挙区）

いつ　　　年　　月　　日　　どこで

何をした

情報源1　　　　　　　情報源2

追記　　　年　　月　　日

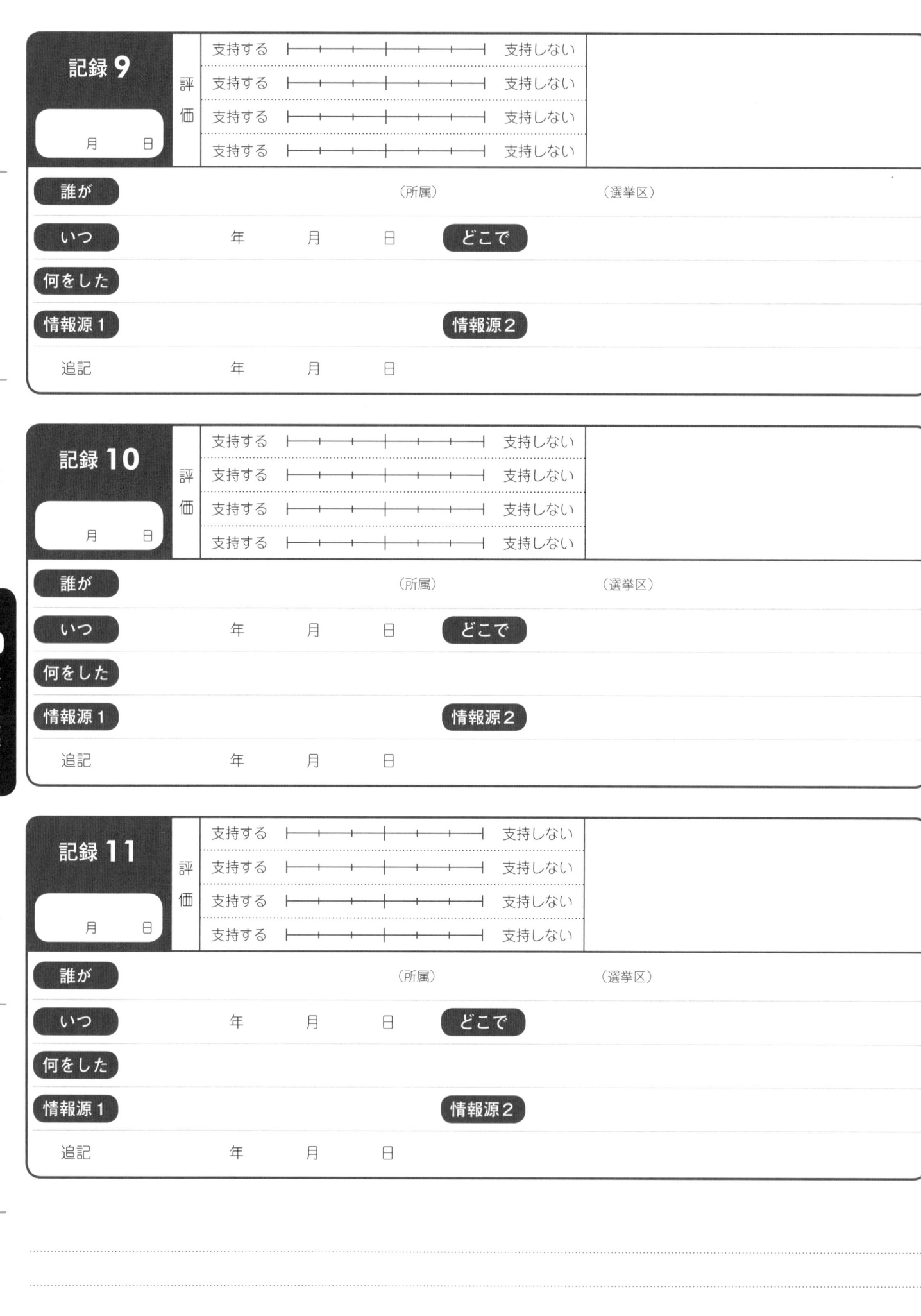

記録 9	評価	支持する ├─┼─┼─┼─┼─┤ 支持しない	
		支持する ├─┼─┼─┼─┼─┤ 支持しない	
		支持する ├─┼─┼─┼─┼─┤ 支持しない	
月　　　日		支持する ├─┼─┼─┼─┼─┤ 支持しない	

誰が　　　　　　　　　　　　　　（所属）　　　　　　　　　　（選挙区）

いつ　　　　年　　　月　　　日　　　どこで

何をした

情報源 1　　　　　　　　　　　　情報源 2

追記　　　　年　　　月　　　日

記録 10	評価	支持する ├─┼─┼─┼─┼─┤ 支持しない	
		支持する ├─┼─┼─┼─┼─┤ 支持しない	
		支持する ├─┼─┼─┼─┼─┤ 支持しない	
月　　　日		支持する ├─┼─┼─┼─┼─┤ 支持しない	

誰が　　　　　　　　　　　　　　（所属）　　　　　　　　　　（選挙区）

いつ　　　　年　　　月　　　日　　　どこで

何をした

情報源 1　　　　　　　　　　　　情報源 2

追記　　　　年　　　月　　　日

記録 11	評価	支持する ├─┼─┼─┼─┼─┤ 支持しない	
		支持する ├─┼─┼─┼─┼─┤ 支持しない	
		支持する ├─┼─┼─┼─┼─┤ 支持しない	
月　　　日		支持する ├─┼─┼─┼─┼─┤ 支持しない	

誰が　　　　　　　　　　　　　　（所属）　　　　　　　　　　（選挙区）

いつ　　　　年　　　月　　　日　　　どこで

何をした

情報源 1　　　　　　　　　　　　情報源 2

追記　　　　年　　　月　　　日

記録 12

月　　日

評価	支持する	├──┼──┼──┼──┼──┤	支持しない
	支持する	├──┼──┼──┼──┼──┤	支持しない
	支持する	├──┼──┼──┼──┼──┤	支持しない
	支持する	├──┼──┼──┼──┼──┤	支持しない

誰が　　　　　　　　　　　（所属）　　　　　　　（選挙区）

いつ　　　　年　　　月　　　日　　どこで

何をした

情報源 1　　　　　　　　　情報源 2

追記　　　　年　　　月　　　日

記録 13

月　　日

評価	支持する	├──┼──┼──┼──┼──┤	支持しない
	支持する	├──┼──┼──┼──┼──┤	支持しない
	支持する	├──┼──┼──┼──┼──┤	支持しない
	支持する	├──┼──┼──┼──┼──┤	支持しない

誰が　　　　　　　　　　　（所属）　　　　　　　（選挙区）

いつ　　　　年　　　月　　　日　　どこで

何をした

情報源 1　　　　　　　　　情報源 2

追記　　　　年　　　月　　　日

記録 14

月　　日

評価	支持する	├──┼──┼──┼──┼──┤	支持しない
	支持する	├──┼──┼──┼──┼──┤	支持しない
	支持する	├──┼──┼──┼──┼──┤	支持しない
	支持する	├──┼──┼──┼──┼──┤	支持しない

誰が　　　　　　　　　　　（所属）　　　　　　　（選挙区）

いつ　　　　年　　　月　　　日　　どこで

何をした

情報源 1　　　　　　　　　情報源 2

追記　　　　年　　　月　　　日

はじめに

どう変えるか

❸ 政治の記録

おまけ学習

総合評価

おまけ学習は

見るだけでも OK
いつはじめても OK

記録 15

月　　　日

評価		
支持する	├──┼──┼──┼──┼──┤	支持しない
支持する	├──┼──┼──┼──┼──┤	支持しない
支持する	├──┼──┼──┼──┼──┤	支持しない
支持する	├──┼──┼──┼──┼──┤	支持しない

誰が　　　　　　　　　　　　　　　　（所属）　　　　　　　　　（選挙区）

いつ　　　　　年　　　月　　　日　　どこで

何をした

情報源1　　　　　　　　　　　　　情報源2

追記　　　　　年　　　月　　　日

記録 16

月　　　日

評価		
支持する	├──┼──┼──┼──┼──┤	支持しない
支持する	├──┼──┼──┼──┼──┤	支持しない
支持する	├──┼──┼──┼──┼──┤	支持しない
支持する	├──┼──┼──┼──┼──┤	支持しない

誰が　　　　　　　　　　　　　　　　（所属）　　　　　　　　　（選挙区）

いつ　　　　　年　　　月　　　日　　どこで

何をした

情報源1　　　　　　　　　　　　　情報源2

追記　　　　　年　　　月　　　日

記録 17

月　　　日

評価		
支持する	├──┼──┼──┼──┼──┤	支持しない
支持する	├──┼──┼──┼──┼──┤	支持しない
支持する	├──┼──┼──┼──┼──┤	支持しない
支持する	├──┼──┼──┼──┼──┤	支持しない

誰が　　　　　　　　　　　　　　　　（所属）　　　　　　　　　（選挙区）

いつ　　　　　年　　　月　　　日　　どこで

何をした

情報源1　　　　　　　　　　　　　情報源2

追記　　　　　年　　　月　　　日

記録 18

| 月 | 日 |

評価
支持する ├─┼─┼─┼─┼─┼─┤ 支持しない
支持する ├─┼─┼─┼─┼─┼─┤ 支持しない
支持する ├─┼─┼─┼─┼─┼─┤ 支持しない
支持する ├─┼─┼─┼─┼─┼─┤ 支持しない

誰が　　　　　　　　　　（所属）　　　　　　　　　（選挙区）
いつ　　　年　　月　　日　　どこで
何をした
情報源1　　　　　　　　　　　情報源2
追記　　　年　　月　　日

記録 19

| 月 | 日 |

評価
支持する ├─┼─┼─┼─┼─┼─┤ 支持しない
支持する ├─┼─┼─┼─┼─┼─┤ 支持しない
支持する ├─┼─┼─┼─┼─┼─┤ 支持しない
支持する ├─┼─┼─┼─┼─┼─┤ 支持しない

誰が　　　　　　　　　　（所属）　　　　　　　　　（選挙区）
いつ　　　年　　月　　日　　どこで
何をした
情報源1　　　　　　　　　　　情報源2
追記　　　年　　月　　日

記録 20

| 月 | 日 |

評価
支持する ├─┼─┼─┼─┼─┼─┤ 支持しない
支持する ├─┼─┼─┼─┼─┼─┤ 支持しない
支持する ├─┼─┼─┼─┼─┼─┤ 支持しない
支持する ├─┼─┼─┼─┼─┼─┤ 支持しない

誰が　　　　　　　　　　（所属）　　　　　　　　　（選挙区）
いつ　　　年　　月　　日　　どこで
何をした
情報源1　　　　　　　　　　　情報源2
追記　　　年　　月　　日

どこに投票するかは

だれにも教えなくてよい

はじめに

どう変えるか

❸ 政治の記録

おまけ学習

総合評価

記録 21

月　日

評価	支持する	├─┼─┼─┼─┼─┤	支持しない
	支持する	├─┼─┼─┼─┼─┤	支持しない
	支持する	├─┼─┼─┼─┼─┤	支持しない
	支持する	├─┼─┼─┼─┼─┤	支持しない

誰が　　　　　　　　　　（所属）　　　　　　　　（選挙区）

いつ　　　年　　　月　　　日　　**どこで**

何をした

情報源1　　　　　　　　　　**情報源2**

追記　　　年　　　月　　　日

記録 22

月　日

評価	支持する	├─┼─┼─┼─┼─┤	支持しない
	支持する	├─┼─┼─┼─┼─┤	支持しない
	支持する	├─┼─┼─┼─┼─┤	支持しない
	支持する	├─┼─┼─┼─┼─┤	支持しない

誰が　　　　　　　　　　（所属）　　　　　　　　（選挙区）

いつ　　　年　　　月　　　日　　**どこで**

何をした

情報源1　　　　　　　　　　**情報源2**

追記　　　年　　　月　　　日

記録 23

月　日

評価	支持する	├─┼─┼─┼─┼─┤	支持しない
	支持する	├─┼─┼─┼─┼─┤	支持しない
	支持する	├─┼─┼─┼─┼─┤	支持しない
	支持する	├─┼─┼─┼─┼─┤	支持しない

誰が　　　　　　　　　　（所属）　　　　　　　　（選挙区）

いつ　　　年　　　月　　　日　　**どこで**

何をした

情報源1　　　　　　　　　　**情報源2**

追記　　　年　　　月　　　日

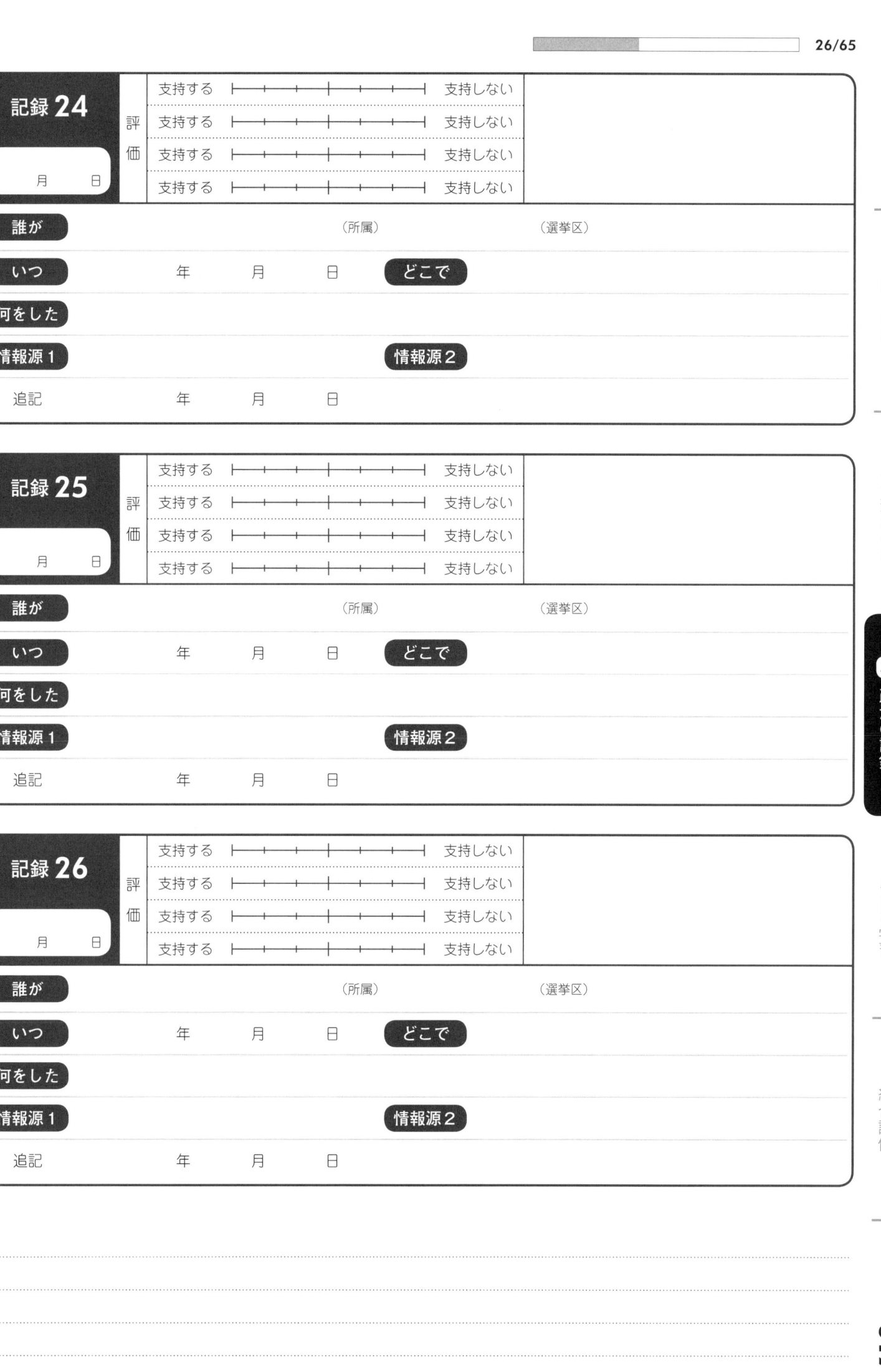

記録 27

月　　　日

評価	支持する ├──┼──┼──┼──┤ 支持しない
	支持する ├──┼──┼──┼──┤ 支持しない
	支持する ├──┼──┼──┼──┤ 支持しない
	支持する ├──┼──┼──┼──┤ 支持しない

誰が　　　　　　　　　　　（所属）　　　　　　　（選挙区）

いつ　　　年　　月　　日　どこで

何をした

情報源1　　　　　　　　　情報源2

追記　　　年　　月　　日

記録 28

月　　　日

評価	支持する ├──┼──┼──┼──┤ 支持しない
	支持する ├──┼──┼──┼──┤ 支持しない
	支持する ├──┼──┼──┼──┤ 支持しない
	支持する ├──┼──┼──┼──┤ 支持しない

誰が　　　　　　　　　　　（所属）　　　　　　　（選挙区）

いつ　　　年　　月　　日　どこで

何をした

情報源1　　　　　　　　　情報源2

追記　　　年　　月　　日

記録 29

月　　　日

評価	支持する ├──┼──┼──┼──┤ 支持しない
	支持する ├──┼──┼──┼──┤ 支持しない
	支持する ├──┼──┼──┼──┤ 支持しない
	支持する ├──┼──┼──┼──┤ 支持しない

誰が　　　　　　　　　　　（所属）　　　　　　　（選挙区）

いつ　　　年　　月　　日　どこで

何をした

情報源1　　　　　　　　　情報源2

追記　　　年　　月　　日

記録 33

月 　 日

評価	支持する	├─┼─┼─┼─┼─┤	支持しない	
	支持する	├─┼─┼─┼─┼─┤	支持しない	
	支持する	├─┼─┼─┼─┼─┤	支持しない	
	支持する	├─┼─┼─┼─┼─┤	支持しない	

誰が 　　　　　　　　　　　　　　　（所属）　　　　　　　　　（選挙区）

いつ 　　　　年　　　月　　　日　　どこで

何をした

情報源1　　　　　　　　　　　　情報源2

追記 　　　　年　　　月　　　日

---

❸ 政治の記録

記録 34

月 　 日

評価	支持する	├─┼─┼─┼─┼─┤	支持しない	
	支持する	├─┼─┼─┼─┼─┤	支持しない	
	支持する	├─┼─┼─┼─┼─┤	支持しない	
	支持する	├─┼─┼─┼─┼─┤	支持しない	

誰が 　　　　　　　　　　　　　　　（所属）　　　　　　　　　（選挙区）

いつ 　　　　年　　　月　　　日　　どこで

何をした

情報源1　　　　　　　　　　　　情報源2

追記 　　　　年　　　月　　　日

記録 35

月 　 日

評価	支持する	├─┼─┼─┼─┼─┤	支持しない	
	支持する	├─┼─┼─┼─┼─┤	支持しない	
	支持する	├─┼─┼─┼─┼─┤	支持しない	
	支持する	├─┼─┼─┼─┼─┤	支持しない	

誰が 　　　　　　　　　　　　　　　（所属）　　　　　　　　　（選挙区）

いつ 　　　　年　　　月　　　日　　どこで

何をした

情報源1　　　　　　　　　　　　情報源2

追記 　　　　年　　　月　　　日

記録35個を達成！ 完成率53%

続きを34ページから始めるか、
未記入のおまけ学習をやってみる

● 今年、可決された法律・条例

法 律 ・ 条 例	賛成した政党

● 今年、感心したアイデア・やり方

個人・企業		□ ない・わからない
地方自治体		□ ない・わからない
政府・日本		□ ない・わからない
外国・世界		□ ない・わからない

● 去年にくらべて、今年よくなったこと　　例）○○の収穫が順調だった、○○国の紛争が終わった

個人・企業		□ ない・わからない
市区町村		□ ない・わからない
都道府県		□ ない・わからない
政府・日本		□ ない・わからない
外国・世界		□ ない・わからない

● 今年解決された問題

	今年解決された問題		継続中の問題
自分個人		□ ない	
家庭		□ ない	
学校・職場		□ ない	
地域・その他の コミュニティ		□ ない	
報道機関		□ ない	
市区町村		□ ない	
都道府県		□ ない	
政府・日本		□ ない	
外国・世界		□ ない	

人間がこれまでにほぼ完全に解決できた問題は何があるか？ 話しあってみる。　　例）天然痘（てんねんとう）

□ ない・わからない

市区町村の知識 *1 ［ 年 ］の ［ ］ 市区町村

この市区町村の住民の二元代表 *2

首長	市区町村長	氏　名	人物情報

議会 *2	議員定数	人	
	議　長		

		会派名	人数	会派の長	人物情報
会派 *3	①				
	②				
	③				
	④				
	⑤				
	⑥				

		委員会名	員数	委員長	人物情報
委員会	常任委員会 ①				
	②				
	③				
	④				
	⑤				
	⑥				
	特別委員会・その他 ①				
	②				
	③				
	④				
	⑤				
	⑥				

この市区町村の規模と人材

財政関連値など *4			産業関連値、ほか *4		
調査項目	10年度前 ➡	年度	調査項目	10年前 ➡	年度
人口	人	人	農業産出額	億円	億円
職員数	人	人	林業産出額	億円	億円
予算額の規模　一般会計	億円	億円	漁業産出額	億円	億円
特別会計	億円	億円	製造品出荷額等	億円	億円
公営企業会計	億円	億円	年間商品販売額（卸売＋小売）	億円	億円
経常収支比率	％	％	*		
財政調整基金	億円	億円			

（　　　　　　）年度の特別会計の数＝（　　　）会計

（　　　　　　）年度の公営企業会計の数＝（　　　）会計

＊観光客数、ごみ排出量など、知りたい数値を調べてみる

＊1　まずは自分が住む市区町村について調べる。

＊2　地方自治法第94条にしたがって、町村は議会を置かないこともできる。

はじめに／どう変えるか／政治の記録／④ おまけ学習／総合評価

| 議会の動画中継・配信の有無 | 本会議：□ある　□ない　□わからない　　委員会：□ある　□ない　□わからない |

副議長 | |

	会 派 名	人数	会派の長	人物情報
⑦				
⑧				
⑨				
⑩				
⑪				
⑫				

	委 員 会 名	員数	委 員 長	人物情報
⑦				
⑧				
⑨				
⑩				
⑪				
⑫				
⑦				
⑧				
⑨				
⑩				
⑪				
⑫				

その他の特別職や、この市区町村の人材

職 名	氏 名	人物情報	職 名	氏 名	人物情報
副市区町村長①					
副市区町村長②					
副市区町村長③					
副市区町村長④					
教育長					
農業委員会長					
＊					

＊議会議員、選挙の立候補者、監査委員、選挙管理委員長、市区町村職員、第三セクターや地方公社の長、小中学校の先輩・後輩・同級生、近隣住民など

＊3　議員が全員無所属で、会派がない議会もある。その場合は「なし」と記録しておく。
＊4　〇万人、〇十億円、ゼロ円など、およそその規模を知るだけでよい。わからないところには「？」を書いて、わからないことを記録しておく。

| 年 の | | 都道府県 |

この都道府県の住民の二元代表

首長	知　事	氏　名		人物情報

議会	議員定数		人		
	議　長				

		会 派 名	人数	会派の長	人物情報
会派	①				
	②				
	③				
	④				
	⑤				
	⑥				

			委 員 会 名	員数	委 員 長	人物情報
委員会	常任委員会	①				
		②				
		③				
		④				
		⑤				
		⑥				
	特別委員会・その他	①				
		②				
		③				
		④				
		⑤				
		⑥				

この都道府県の規模と人材

財政関連値など *2				産業関連値、ほか *2		
調査項目	10 年度前 ➡		年度	調査項目	10 年前 ➡	年
人口		万人	万人	農業産出額	億円	億円
職員数		人	人	林業産出額	億円	億円
予算額の規模 ／ 一般会計		億円	億円	漁業産出額	億円	億円
予算額の規模 ／ 特別会計		億円	億円	製造品出荷額等	億円	億円
予算額の規模 ／ 公営企業会計		億円	億円	年間商品販売額（卸売＋小売）	億円	億円
経常収支比率		%	%	*		
財政調整基金		億円	億円			

（　　　　　　）年度の特別会計の数＝（　　　）会計
（　　　　　　）年度の公営企業会計の数＝（　　　）会計

*観光客数、ごみ排出量など、知りたい数値を調べてみる

*1 まずは自分が住む都道府県について調べる。
*2 ○百○十万人、○千○百億円など、およその規模を知るだけでよい。わからないところには「？」を書いて、わからないことを記録しておく。

（左側縦書き）はじめに　どう変えるか　政治の記録　④ おまけ学習　総合評価

議会の動画中継・配信の有無	本会議：□ ある　□ ない　□ わからない　　委員会：□ ある　□ ない　□ わからない

副議長	

会 派 名	人数	会派の長	人物情報
⑦			
⑧			
⑨			
⑩			
⑪			
⑫			

委 員 会 名	員数	委 員 長	人物情報
⑦			
⑧			
⑨			
⑩			
⑪			
⑫			
⑦			
⑧			
⑨			
⑩			
⑪			
⑫			

その他の特別職や、この都道府県の人材					
職 名	氏 名	人物情報	職 名	氏 名	人物情報
副知事①			人事委員長		
副知事②			*		
副知事③					
副知事④					
教育長					
公安委員長					
警察本部長*3					

*議会議員、選挙の立候補者、監査委員、選挙管理委員長、都道府県職員、職場や取引先の人、高校の先輩・後輩・同級生、技術者、研究者など

*3 東京都の場合は警視総監

衆　議　院

| 議員定数 | 　　　　　人 | （小選挙区：　　　　　人　　比例代表：　　　　　人） |

| 議　長 | | 副議長 | |

会派

	会　派　名	人数	メモ		会　派　名	人数	メモ
①				⑦			
②				⑧			
③				⑨			
④				⑩			
⑤				⑪			
⑥				⑫			

常任委員会

	委員会名	員数	委員長		委員会名	員数	委員長
①	内閣			⑩	国土交通		
②	総務			⑪	環境		
③	法務			⑫	安全保障		
④	外務			⑬	国家基本政策		
⑤	財務金融			⑭	予算		
⑥	文部科学			⑮	決算行政監視		
⑦	厚生労働			⑯	議院運営		
⑧	農林水産			⑰	懲罰		
⑨	経済産業						

特別委員会

①		⑥	
②		⑦	
③		⑧	
④		⑨	
⑤		⑩	

記入者が住む　小選挙区　　　　都道府県　　区　　比例代表　　　　ブロック　**選出の衆議院議員**

氏　名	政　党	所属委員会	今年の政治行動
			（　　　　　　　　）に　□賛成した　□反対した　□不明
			（　　　　　　　　）に　□賛成した　□反対した　□不明
			（　　　　　　　　）に　□賛成した　□反対した　□不明

日本の状況

調査項目	10 年度前		年度	
人口	億	万人	億	万人
会計区分	歳入・収入	歳出・支出	歳入・収入	歳出・支出
一般会計	兆円	兆円	兆円	兆円
特別会計	兆円	兆円	兆円	兆円
政府関係機関会計の決算額	兆円	兆円	兆円	兆円

（　　　　　　　　）年度の
・特別会計の数
＝（　　　　）会計
・政府関係機関会計の数
＝（　　　　）会計

はじめに

どう変えるか

政治の記録

④ おまけ学習

総合評価

参 議 院

議員定数	人	（選挙区：　　　　　人　　比例代表：　　　　　人）
議　長		副議長

会派	会 派 名	人数	メモ		会 派 名	人数	メモ
	①			⑦			
	②			⑧			
	③			⑨			
	④			⑩			
	⑤			⑪			
	⑥			⑫			

常任委員会	委 員 会 名	員数	委 員 長		委 員 会 名	員数	委 員 長
	① 内閣			⑩ 国土交通		
	② 総務			⑪ 環境		
	③ 法務			⑫ 国家基本政策		
	④ 外交防衛			⑬ 予算		
	⑤ 財政金融			⑭ 決算		
	⑥ 文教科学			⑮ 行政監視		
	⑦ 厚生労働			⑯ 議院運営		
	⑧ 農林水産			⑰ 懲罰		
	⑨ 経済産業					

特別委員会							
	①			⑥			
	②			⑦			
	③			⑧			
	④			⑨			
	⑤			⑩			

記入者が住む　選挙区　　　　都道府県　　選出、もしくは比例代表で氏名を書いた参議院議員

氏　名	政　党	所属委員会	今年の政治行動
			（　　　　　　　　　　　）に □賛成した □反対した □不明
			（　　　　　　　　　　　）に □賛成した □反対した □不明
			（　　　　　　　　　　　）に □賛成した □反対した □不明

産業関連値			日本国内の問題について。この10年間でどうなった？
調査項目	10年前 ➡	年	● 改善された問題　　□ある □ない □わからない
農業産出額	兆円	兆円	
林業産出額	兆円	兆円	● 継続中の問題　　□ある □ない □わからない
漁業産出額	兆円	兆円	
製造品出荷額等	兆円	兆円	● 新たに起きた問題　　□ある □ない □わからない
年間商品販売額（卸売＋小売）	兆円	兆円	

政党の知識

● 政党をひとつ選ぶ。その政党の現在の役員・幹部はどんな人か？（政治団体・地域政党をふくむ）

党 名	政党交付金	
	（　　　　年）　　　　億　　　　万円	

氏 名	役 名 （総裁・代表・委員長・幹事長など）	発言・行動・選出選挙区など

この政党について

上記以外の党内の人材

　　　　　　　　　　　　　　　　　　□ ない　□ わからない

今年がんばっていたところ

　　　　　　　　　　　　　　　　　　□ ない　□ わからない

今年よくなかったところ

　　　　　　　　　　　　　　　　　　□ ない　□ わからない

わからないこと

　　　　　　　　　　　　　　　　　　□ ない　□ わからない

リークしたい・後世に残したい内部情報がある場合　　　情報源：

　　　　　　　　　　　　　　　　　　□ ない　□ わからない

はじめに

どう変えるか

政治の記録

④ おまけ学習

総合評価

内閣の知識

● 現在の内閣の閣僚はどんな人か？

氏　名	職　名	内閣府特命担当 内閣担当	発言・行動・選出選挙区など
	内閣総理大臣		
	総務大臣		
	法務大臣		
	外務大臣		
	財務大臣		
	文部科学大臣		
	厚生労働大臣		
	農林水産大臣		
	経済産業大臣		
	国土交通大臣		
	環境大臣		
	防衛大臣		
	内閣官房長官		
	デジタル大臣		
	復興大臣		
	国家公安委員会委員長		

上記以外にこの内閣を支える人材

氏　名	職　名	人物情報
	内閣広報官	
	内閣総理大臣補佐官	
	内閣総理大臣秘書官	
	＊	

＊ そのほかの担当大臣、内閣危機管理監、内閣情報通信政策監など。すぐれた人材に関する、記録に残りにくい実績や内部情報は特に貴重。

はじめに — どう変えるか — 政治の記録

④ **おまけ学習**

総合評価

内閣		氏名	人物情報*1
内閣官房	長官		
内閣法制局	長官		
人事院	総裁		
内閣府			
宮内庁	長官		
公正取引委員会	委員長		
国家公安委員会	委員長		
警察庁	長官		
個人情報保護委員会	委員長		
カジノ管理委員会	委員長		
金融庁	長官		
消費者庁	長官		
デジタル庁	大臣		
復興庁	大臣		
総務省	大臣		
公害等調整委員会	委員長		
消防庁	長官		
法務省	大臣		
出入国在留管理庁	長官		
公安審査委員会	委員長		
公安調査庁	長官		
特別の機関 最高検察庁	検事総長		
外務省	大臣		
財務省	大臣		
国税庁	長官		
文部科学省	大臣		
スポーツ庁	長官		
文化庁	長官		

*1 特に官庁内部にいる人が、それぞれの職場における大臣・長官の「評価・評判」を書き残すと貴重な情報になる。

厚生労働省	大臣	
中央労働委員会	会長	
農林水産省	大臣	
林野庁	長官	
水産庁	長官	
経済産業省	大臣	
資源エネルギー庁	長官	
中小企業庁	長官	
特許庁	長官	
国土交通省	大臣	
観光庁	長官	
気象庁	長官	
運輸安全委員会	委員長	
海上保安庁	長官	
環境省	大臣	
原子力規制委員会	委員長	
防衛省	大臣	
防衛装備庁	長官	

会計検査院	院　長	
裁 判 所	最高裁判所長官	

氏　名	職　名	人物情報
上記以外の人材		副大臣	
		副大臣	
		大臣政務官	
		大臣政務官	
	省	事務次官	
	*		

はじめに

どう変えるか

政治の記録

④ おまけ学習

総合評価

031

＊ そのほかの検査官、裁判官、審議官、技監、局長、課長などの公務員。すぐれた人材に関する、記録に残りにくい実績や内部情報は特に貴重。

● 今年、政治報道をがんばっている報道機関

報道機関・メディア	日付	高く評価する活動・記事・番組・人物

報道機関への要望：　□ ある　□ ない　□ わからない

例　〇〇県選出衆議院議員の本会議での実際の行動を知りたい。起立採決で可決した議案について、採決の瞬間に本当に本会議に出席して起立していたのか、会議録には載らないので国会の記者席から確認して、紙面か新聞社ウェブサイトに掲載してほしい。

報道機関側から、伝えたい内部情報・事情がある場合：　□ ある　□ ない

● 電波利用料　（　　　　　　　　　　年度）

地上テレビジョン放送事業者	電波利用料負担額	この事業者の報道番組に対する評価		
	万円	政治報道	□ 充分　□ 充分ではない　□ わからない	
		災害報道	□ 充分　□ 充分ではない　□ わからない	
	万円	政治報道	□ 充分　□ 充分ではない　□ わからない	
		災害報道	□ 充分　□ 充分ではない　□ わからない	
	万円	政治報道	□ 充分　□ 充分ではない　□ わからない	
		災害報道	□ 充分　□ 充分ではない　□ わからない	
	万円	政治報道	□ 充分　□ 充分ではない　□ わからない	
		災害報道	□ 充分　□ 充分ではない　□ わからない	

公共性の高い電波を利用して事業を行う放送事業者への要望：　□ ある　□ ない　□ わからない

例　国会の会期中には、定時ニュースとはべつに、国会ダイジェスト番組を地上波で毎晩放送することを義務付けてほしい。

はじめに

どう変えるか

政治の記録

④ おまけ学習

総合評価

中間まとめ②

● いま、審議・検討されている法律・条例案

記入日	法律・条例案	賛成している政党

● 今年、助けてくれた人

助けてくれた人		何を助けてくれたか	
例　○○課の○○さん	20×× 9 15	パソコンの○○を設定してくれた。	✓ 問題が再発していない
			☐ 問題が再発していない
			☐ 問題が再発していない
			☐ 問題が再発していない
			☐ 問題が再発していない
			☐ 問題が再発していない
			☐ 問題が再発していない
			☐ 問題が再発していない
			☐ 問題が再発していない

社会問題をふやした人	何をしたか

記録 36

月　　日

評価	支持する ├─┼─┼─┼─┼─┤ 支持しない
	支持する ├─┼─┼─┼─┼─┤ 支持しない
	支持する ├─┼─┼─┼─┼─┤ 支持しない
	支持する ├─┼─┼─┼─┼─┤ 支持しない

誰が　　　　　　　　　　　　　（所属）　　　　　　　　　　（選挙区）

いつ　　　　年　　　月　　　日　　どこで

何をした

情報源1　　　　　　　　　　　情報源2

追記　　　　年　　　月　　　日

記録 37

月　　日

評価	支持する ├─┼─┼─┼─┼─┤ 支持しない
	支持する ├─┼─┼─┼─┼─┤ 支持しない
	支持する ├─┼─┼─┼─┼─┤ 支持しない
	支持する ├─┼─┼─┼─┼─┤ 支持しない

誰が　　　　　　　　　　　　　（所属）　　　　　　　　　　（選挙区）

いつ　　　　年　　　月　　　日　　どこで

何をした

情報源1　　　　　　　　　　　情報源2

追記　　　　年　　　月　　　日

記録 38

月　　日

評価	支持する ├─┼─┼─┼─┼─┤ 支持しない
	支持する ├─┼─┼─┼─┼─┤ 支持しない
	支持する ├─┼─┼─┼─┼─┤ 支持しない
	支持する ├─┼─┼─┼─┼─┤ 支持しない

誰が　　　　　　　　　　　　　（所属）　　　　　　　　　　（選挙区）

いつ　　　　年　　　月　　　日　　どこで

何をした

情報源1　　　　　　　　　　　情報源2

追記　　　　年　　　月　　　日

| いまある問題 | 一般的にこの問題の原因はなにか？
想像してみる | 「一般的に」ではなく考える。
具体的に個別のこのケースに関係している
関係者の個人名・団体名を書き出す |

について

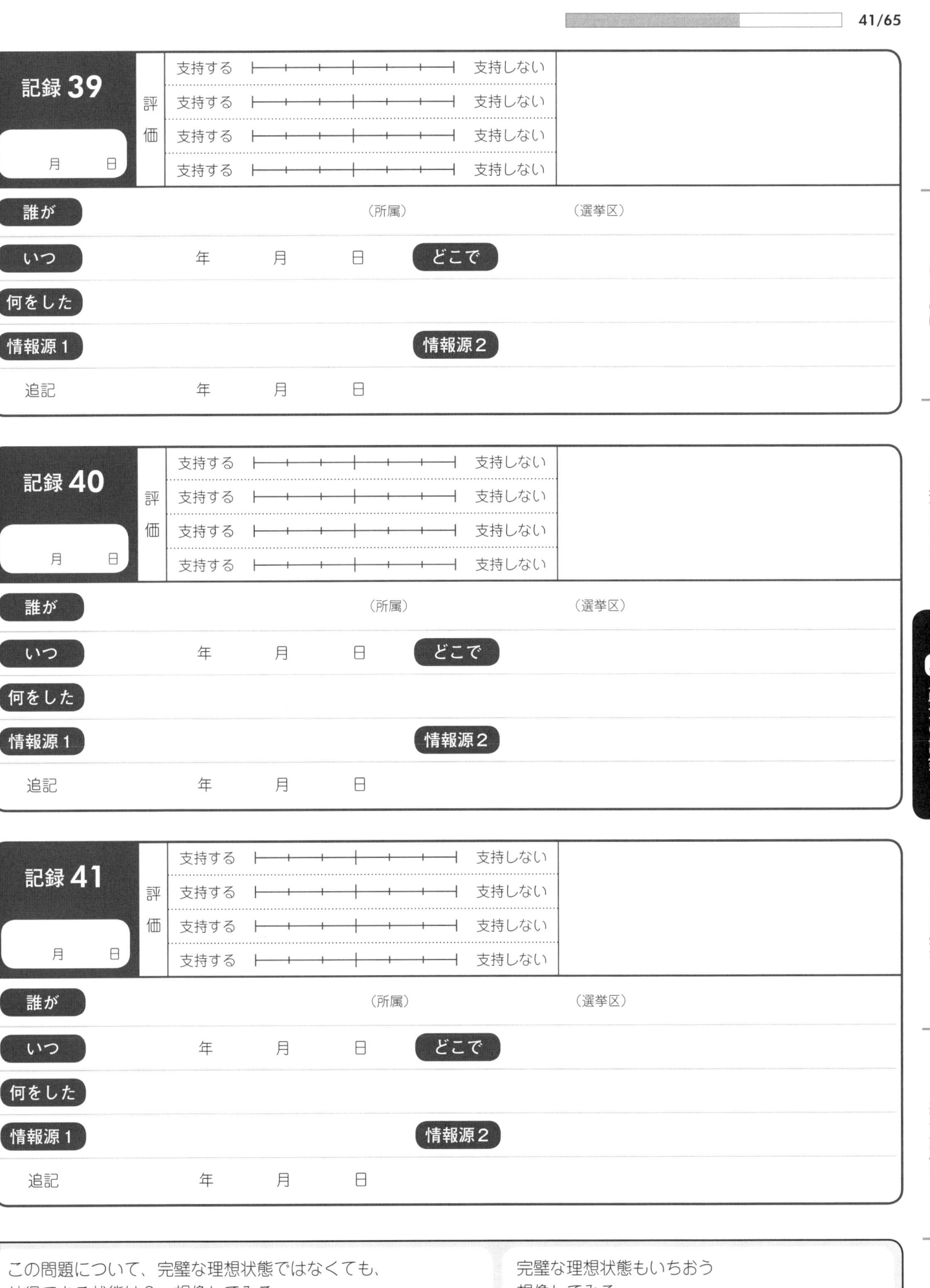

記録 42

評価

	支持する	⊢──┼──┼──┼──┼──┤	支持しない
	支持する	⊢──┼──┼──┼──┼──┤	支持しない
	支持する	⊢──┼──┼──┼──┼──┤	支持しない
	支持する	⊢──┼──┼──┼──┼──┤	支持しない

月　　日

誰が　　　　　　　　　　　　　　（所属）　　　　　　（選挙区）

いつ　　　年　　　月　　　日　　**どこで**

何をした

情報源1　　　　　　　　　　　　**情報源2**

追記　　　年　　　月　　　日

記録 43

評価

	支持する	⊢──┼──┼──┼──┼──┤	支持しない
	支持する	⊢──┼──┼──┼──┼──┤	支持しない
	支持する	⊢──┼──┼──┼──┼──┤	支持しない
	支持する	⊢──┼──┼──┼──┼──┤	支持しない

月　　日

誰が　　　　　　　　　　　　　　（所属）　　　　　　（選挙区）

いつ　　　年　　　月　　　日　　**どこで**

何をした

情報源1　　　　　　　　　　　　**情報源2**

追記　　　年　　　月　　　日

記録 44

評価

	支持する	⊢──┼──┼──┼──┼──┤	支持しない
	支持する	⊢──┼──┼──┼──┼──┤	支持しない
	支持する	⊢──┼──┼──┼──┼──┤	支持しない
	支持する	⊢──┼──┼──┼──┼──┤	支持しない

月　　日

誰が　　　　　　　　　　　　　　（所属）　　　　　　（選挙区）

いつ　　　年　　　月　　　日　　**どこで**

何をした

情報源1　　　　　　　　　　　　**情報源2**

追記　　　年　　　月　　　日

記録 45	評価	支持する ├─┼─┼─┼─┼─┼─┤ 支持しない	
		支持する ├─┼─┼─┼─┼─┼─┤ 支持しない	
月　　日		支持する ├─┼─┼─┼─┼─┼─┤ 支持しない	
		支持する ├─┼─┼─┼─┼─┼─┤ 支持しない	

誰が　　　　　　　　　　　　　　　　　（所属）　　　　　　　　　（選挙区）

いつ　　　　　年　　　月　　　日　　どこで

何をした

情報源1　　　　　　　　　　　　　情報源2

追記　　　　年　　　月　　　日

記録 46	評価	支持する ├─┼─┼─┼─┼─┼─┤ 支持しない	
		支持する ├─┼─┼─┼─┼─┼─┤ 支持しない	
月　　日		支持する ├─┼─┼─┼─┼─┼─┤ 支持しない	
		支持する ├─┼─┼─┼─┼─┼─┤ 支持しない	

誰が　　　　　　　　　　　　　　　　　（所属）　　　　　　　　　（選挙区）

いつ　　　　　年　　　月　　　日　　どこで

何をした

情報源1　　　　　　　　　　　　　情報源2

追記　　　　年　　　月　　　日

記録 47	評価	支持する ├─┼─┼─┼─┼─┼─┤ 支持しない	
		支持する ├─┼─┼─┼─┼─┼─┤ 支持しない	
月　　日		支持する ├─┼─┼─┼─┼─┼─┤ 支持しない	
		支持する ├─┼─┼─┼─┼─┼─┤ 支持しない	

誰が　　　　　　　　　　　　　　　　　（所属）　　　　　　　　　（選挙区）

いつ　　　　　年　　　月　　　日　　どこで

何をした

情報源1　　　　　　　　　　　　　情報源2

追記　　　　年　　　月　　　日

はじめに

どう変えるか

❸ 政治の記録

おまけ学習

総合評価

記録 48

月　　　日

評価	支持する ├─┼─┼─┼─┼─┤ 支持しない	
	支持する ├─┼─┼─┼─┼─┤ 支持しない	
	支持する ├─┼─┼─┼─┼─┤ 支持しない	
	支持する ├─┼─┼─┼─┼─┤ 支持しない	

誰が　　　　　　　　　　　　　（所属）　　　　　　　　　（選挙区）

いつ　　　年　　　月　　　日　　　どこで

何をした

情報源1　　　　　　　　　　　情報源2

追記　　　年　　　月　　　日

記録 49

月　　　日

評価	支持する ├─┼─┼─┼─┼─┤ 支持しない	
	支持する ├─┼─┼─┼─┼─┤ 支持しない	
	支持する ├─┼─┼─┼─┼─┤ 支持しない	
	支持する ├─┼─┼─┼─┼─┤ 支持しない	

誰が　　　　　　　　　　　　　（所属）　　　　　　　　　（選挙区）

いつ　　　年　　　月　　　日　　　どこで

何をした

情報源1　　　　　　　　　　　情報源2

追記　　　年　　　月　　　日

記録 50

月　　　日

評価	支持する ├─┼─┼─┼─┼─┤ 支持しない	
	支持する ├─┼─┼─┼─┼─┤ 支持しない	
	支持する ├─┼─┼─┼─┼─┤ 支持しない	
	支持する ├─┼─┼─┼─┼─┤ 支持しない	

誰が　　　　　　　　　　　　　（所属）　　　　　　　　　（選挙区）

いつ　　　年　　　月　　　日　　　どこで

何をした

情報源1　　　　　　　　　　　情報源2

追記　　　年　　　月　　　日

記録 51				
	評価	支持する ⊢——┼——┼——┼——┼——┤ 支持しない		
		支持する ⊢——┼——┼——┼——┼——┤ 支持しない		
		支持する ⊢——┼——┼——┼——┼——┤ 支持しない		
月　日		支持する ⊢——┼——┼——┼——┼——┤ 支持しない		

誰が　　　　　　　　　　　　　（所属）　　　　　（選挙区）

いつ　　　　年　　　月　　　日　　どこで

何をした

情報源1　　　　　　　　　　情報源2

追記　　　　年　　　月　　　日

記録 52				
	評価	支持する ⊢——┼——┼——┼——┼——┤ 支持しない		
		支持する ⊢——┼——┼——┼——┼——┤ 支持しない		
		支持する ⊢——┼——┼——┼——┼——┤ 支持しない		
月　日		支持する ⊢——┼——┼——┼——┼——┤ 支持しない		

誰が　　　　　　　　　　　　　（所属）　　　　　（選挙区）

いつ　　　　年　　　月　　　日　　どこで

何をした

情報源1　　　　　　　　　　情報源2

追記　　　　年　　　月　　　日

記録 53				
	評価	支持する ⊢——┼——┼——┼——┼——┤ 支持しない		
		支持する ⊢——┼——┼——┼——┼——┤ 支持しない		
		支持する ⊢——┼——┼——┼——┼——┤ 支持しない		
月　日		支持する ⊢——┼——┼——┼——┼——┤ 支持しない		

誰が　　　　　　　　　　　　　（所属）　　　　　（選挙区）

いつ　　　　年　　　月　　　日　　どこで

何をした

情報源1　　　　　　　　　　情報源2

追記　　　　年　　　月　　　日

はじめに

どう変えるか

❸ 政治の記録

おまけ学習

総合評価

反対する人がいない

すべての人が合意できる
社会目標は何だろう？

記録 54

	評価		
	支持する ├─┼─┼─┼─┼─┤ 支持しない		
	支持する ├─┼─┼─┼─┼─┤ 支持しない		
	支持する ├─┼─┼─┼─┼─┤ 支持しない		
月　日	支持する ├─┼─┼─┼─┼─┤ 支持しない		

誰が		（所属）	（選挙区）
いつ	年　月　日	どこで	
何をした			
情報源 1		情報源 2	
追記	年　月　日		

記録 55

	評価		
	支持する ├─┼─┼─┼─┼─┤ 支持しない		
	支持する ├─┼─┼─┼─┼─┤ 支持しない		
	支持する ├─┼─┼─┼─┼─┤ 支持しない		
月　日	支持する ├─┼─┼─┼─┼─┤ 支持しない		

誰が		（所属）	（選挙区）
いつ	年　月　日	どこで	
何をした			
情報源 1		情報源 2	
追記	年　月　日		

記録 56

	評価		
	支持する ├─┼─┼─┼─┼─┤ 支持しない		
	支持する ├─┼─┼─┼─┼─┤ 支持しない		
	支持する ├─┼─┼─┼─┼─┤ 支持しない		
月　日	支持する ├─┼─┼─┼─┼─┤ 支持しない		

誰が		（所属）	（選挙区）
いつ	年　月　日	どこで	
何をした			
情報源 1		情報源 2	
追記	年　月　日		

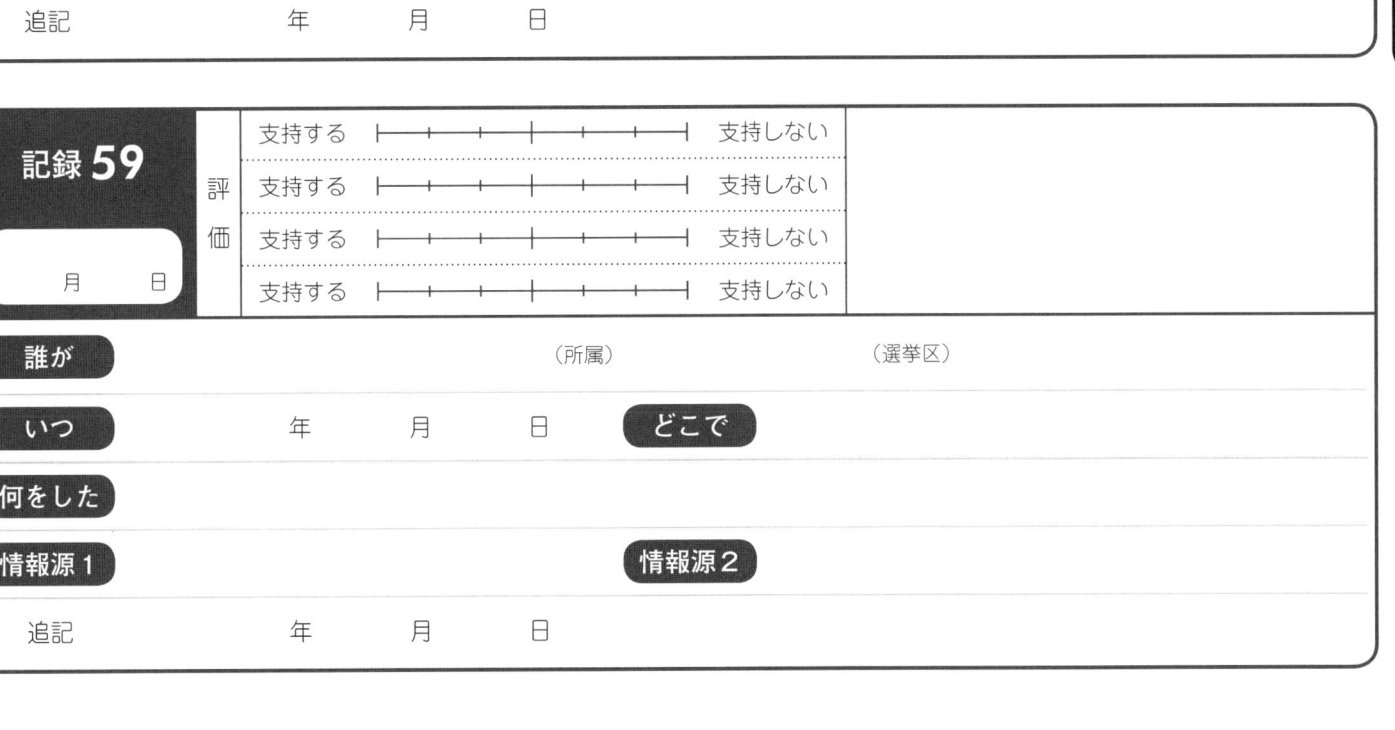

記録 57

月　日

評価

支持する ┠─┼─┼─┼─┼─┼─┨ 支持しない
支持する ┠─┼─┼─┼─┼─┼─┨ 支持しない
支持する ┠─┼─┼─┼─┼─┼─┨ 支持しない
支持する ┠─┼─┼─┼─┼─┼─┨ 支持しない

誰が　　　　　　　　　　　（所属）　　　　　　　（選挙区）

いつ　　　年　　　月　　　日　　どこで

何をした

情報源1　　　　　　　　　情報源2

追記　　　年　　　月　　　日

記録 58

月　日

評価

支持する ┠─┼─┼─┼─┼─┼─┨ 支持しない
支持する ┠─┼─┼─┼─┼─┼─┨ 支持しない
支持する ┠─┼─┼─┼─┼─┼─┨ 支持しない
支持する ┠─┼─┼─┼─┼─┼─┨ 支持しない

誰が　　　　　　　　　　　（所属）　　　　　　　（選挙区）

いつ　　　年　　　月　　　日　　どこで

何をした

情報源1　　　　　　　　　情報源2

追記　　　年　　　月　　　日

記録 59

月　日

評価

支持する ┠─┼─┼─┼─┼─┼─┨ 支持しない
支持する ┠─┼─┼─┼─┼─┼─┨ 支持しない
支持する ┠─┼─┼─┼─┼─┼─┨ 支持しない
支持する ┠─┼─┼─┼─┼─┼─┨ 支持しない

誰が　　　　　　　　　　　（所属）　　　　　　　（選挙区）

いつ　　　年　　　月　　　日　　どこで

何をした

情報源1　　　　　　　　　情報源2

追記　　　年　　　月　　　日

はじめに

どう変えるか

❸ 政治の記録

おまけ学習

総合評価

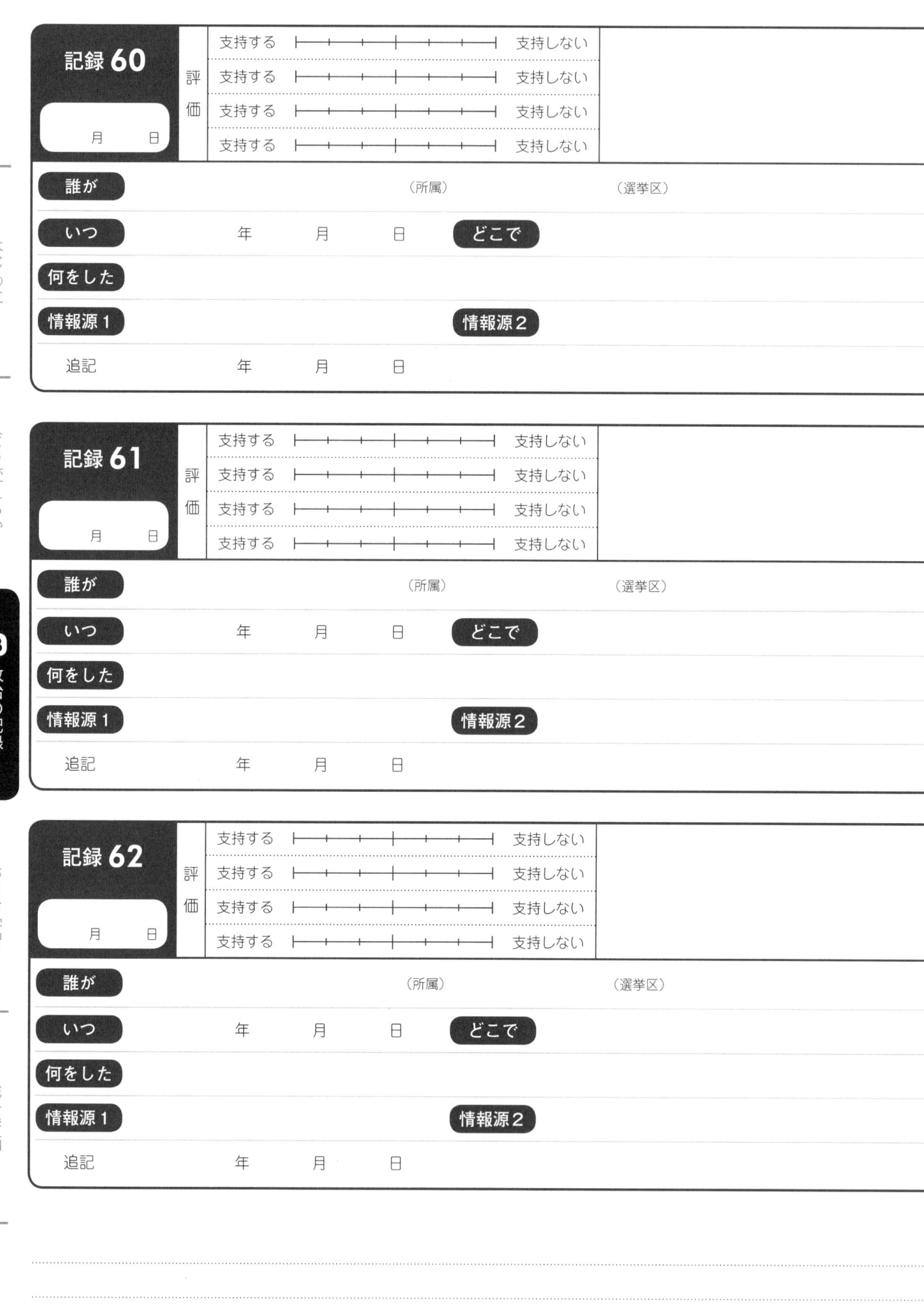

記録60

月　　日

評価	支持する	├─┼─┼─┼─┼─┼─┤	支持しない
	支持する	├─┼─┼─┼─┼─┼─┤	支持しない
	支持する	├─┼─┼─┼─┼─┼─┤	支持しない
	支持する	├─┼─┼─┼─┼─┼─┤	支持しない

誰が　　　　　　　　　　　　（所属）　　　　　　　（選挙区）

いつ　　　年　　　月　　　日　　どこで

何をした

情報源1　　　　　　　　　情報源2

追記　　　年　　　月　　　日

記録61

月　　日

評価	支持する	├─┼─┼─┼─┼─┼─┤	支持しない
	支持する	├─┼─┼─┼─┼─┼─┤	支持しない
	支持する	├─┼─┼─┼─┼─┼─┤	支持しない
	支持する	├─┼─┼─┼─┼─┼─┤	支持しない

誰が　　　　　　　　　　　　（所属）　　　　　　　（選挙区）

いつ　　　年　　　月　　　日　　どこで

何をした

情報源1　　　　　　　　　情報源2

追記　　　年　　　月　　　日

記録62

月　　日

評価	支持する	├─┼─┼─┼─┼─┼─┤	支持しない
	支持する	├─┼─┼─┼─┼─┼─┤	支持しない
	支持する	├─┼─┼─┼─┼─┼─┤	支持しない
	支持する	├─┼─┼─┼─┼─┼─┤	支持しない

誰が　　　　　　　　　　　　（所属）　　　　　　　（選挙区）

いつ　　　年　　　月　　　日　　どこで

何をした

情報源1　　　　　　　　　情報源2

追記　　　年　　　月　　　日

記録 63

月　日

評価		
支持する	├──┼──┼──┼──┼──┤	支持しない
支持する	├──┼──┼──┼──┼──┤	支持しない
支持する	├──┼──┼──┼──┼──┤	支持しない
支持する	├──┼──┼──┼──┼──┤	支持しない

誰が　　　　　　　　　　　（所属）　　　　　　　（選挙区）

いつ　　　年　　月　　日　　どこで

何をした

情報源1　　　　　　　　　　情報源2

追記　　　年　　月　　日

記録 64

月　日

評価		
支持する	├──┼──┼──┼──┼──┤	支持しない
支持する	├──┼──┼──┼──┼──┤	支持しない
支持する	├──┼──┼──┼──┼──┤	支持しない
支持する	├──┼──┼──┼──┼──┤	支持しない

誰が　　　　　　　　　　　（所属）　　　　　　　（選挙区）

いつ　　　年　　月　　日　　どこで

何をした

情報源1　　　　　　　　　　情報源2

追記　　　年　　月　　日

記録 65

月　日

評価		
支持する	├──┼──┼──┼──┼──┤	支持しない
支持する	├──┼──┼──┼──┼──┤	支持しない
支持する	├──┼──┼──┼──┼──┤	支持しない
支持する	├──┼──┼──┼──┼──┤	支持しない

誰が　　　　　　　　　　　（所属）　　　　　　　（選挙区）

いつ　　　年　　月　　日　　どこで

何をした

情報源1　　　　　　　　　　情報源2

追記　　　年　　月　　日

65個達成　このノートは完成！

おつかれさまでした！
→　保管して次の投票に活かす

はじめに

どう変えるか

❸ 政治の記録

おまけ学習

総合評価

事 業 名	事 業 主 体 （国・地方自治体など）	予 算 額	評 価 ・ 提 案	
記入例 ○○先進○○ 海外視察事業	○○○県 ○○党・○○党 県議団	○千○百万 円 20×× 年度	□ 賛成・継続 □ 縮小・延期 ☑ 反対・廃止 □ わからない	議員が観光地めぐりをしただけで、成果報告もなし。平気でこんな行動をする○○党県議に、県政に関わる適格性はない。県民をなめきっている。
❶		円 年度	□ 賛成・継続 □ 縮小・延期 □ 反対・廃止 □ わからない	
❷		円 年度	□ 賛成・継続 □ 縮小・延期 □ 反対・廃止 □ わからない	
❸		円 年度	□ 賛成・継続 □ 縮小・延期 □ 反対・廃止 □ わからない	
❹		円 年度	□ 賛成・継続 □ 縮小・延期 □ 反対・廃止 □ わからない	
❺		円 年度	□ 賛成・継続 □ 縮小・延期 □ 反対・廃止 □ わからない	
❻		円 年度	□ 賛成・継続 □ 縮小・延期 □ 反対・廃止 □ わからない	

上記以外の事業

事業の計画・積算・執行が的確な職員についての情報　□ ある　□ ない

政党もしくは候補者の１０段階評価

❶

評価		10	9	8	7	6	5	4	3	2	1	不明
	A. がんばった	10	9	8	7	6	5	4	3	2	1	不明
	B. 公正さ	10	9	8	7	6	5	4	3	2	1	不明
	C. 思いやり	10	9	8	7	6	5	4	3	2	1	不明
	D. 人権を守る	10	9	8	7	6	5	4	3	2	1	不明
	E. 論理的思考	10	9	8	7	6	5	4	3	2	1	不明
	F. まちがいを認めて改善できる	10	9	8	7	6	5	4	3	2	1	不明
	G. 国民の生活と福祉を向上させる	10	9	8	7	6	5	4	3	2	1	不明
	H. よけいな問題をふやさない	10	9	8	7	6	5	4	3	2	1	不明
	I. 他の政党・候補者よりまし	10	9	8	7	6	5	4	3	2	1	不明

J. 評価の根拠になる記録 No. を、今年の「政治の記録」1 ～ 65 からひとつ選ぶ →

❷

評価		10	9	8	7	6	5	4	3	2	1	不明
	A. がんばった	10	9	8	7	6	5	4	3	2	1	不明
	B. 公正さ	10	9	8	7	6	5	4	3	2	1	不明
	C. 思いやり	10	9	8	7	6	5	4	3	2	1	不明
	D. 人権を守る	10	9	8	7	6	5	4	3	2	1	不明
	E. 論理的思考	10	9	8	7	6	5	4	3	2	1	不明
	F. まちがいを認めて改善できる	10	9	8	7	6	5	4	3	2	1	不明
	G. 国民の生活と福祉を向上させる	10	9	8	7	6	5	4	3	2	1	不明
	H. よけいな問題をふやさない	10	9	8	7	6	5	4	3	2	1	不明
	I. 他の政党・候補者よりまし	10	9	8	7	6	5	4	3	2	1	不明

J. 評価の根拠になる記録 No. を、今年の「政治の記録」1 ～ 65 からひとつ選ぶ →

❸

評価		10	9	8	7	6	5	4	3	2	1	不明
	A. がんばった	10	9	8	7	6	5	4	3	2	1	不明
	B. 公正さ	10	9	8	7	6	5	4	3	2	1	不明
	C. 思いやり	10	9	8	7	6	5	4	3	2	1	不明
	D. 人権を守る	10	9	8	7	6	5	4	3	2	1	不明
	E. 論理的思考	10	9	8	7	6	5	4	3	2	1	不明
	F. まちがいを認めて改善できる	10	9	8	7	6	5	4	3	2	1	不明
	G. 国民の生活と福祉を向上させる	10	9	8	7	6	5	4	3	2	1	不明
	H. よけいな問題をふやさない	10	9	8	7	6	5	4	3	2	1	不明
	I. 他の政党・候補者よりまし	10	9	8	7	6	5	4	3	2	1	不明

J. 評価の根拠になる記録 No. を、今年の「政治の記録」1 ～ 65 からひとつ選ぶ →

❹

評価		10	9	8	7	6	5	4	3	2	1	不明
	A. がんばった	10	9	8	7	6	5	4	3	2	1	不明
	B. 公正さ	10	9	8	7	6	5	4	3	2	1	不明
	C. 思いやり	10	9	8	7	6	5	4	3	2	1	不明
	D. 人権を守る	10	9	8	7	6	5	4	3	2	1	不明
	E. 論理的思考	10	9	8	7	6	5	4	3	2	1	不明
	F. まちがいを認めて改善できる	10	9	8	7	6	5	4	3	2	1	不明
	G. 国民の生活と福祉を向上させる	10	9	8	7	6	5	4	3	2	1	不明
	H. よけいな問題をふやさない	10	9	8	7	6	5	4	3	2	1	不明
	I. 他の政党・候補者よりまし	10	9	8	7	6	5	4	3	2	1	不明

J. 評価の根拠になる記録 No. を、今年の「政治の記録」1 ～ 65 からひとつ選ぶ →

❺

評価		10	9	8	7	6	5	4	3	2	1	不明
	A. がんばった	10	9	8	7	6	5	4	3	2	1	不明
	B. 公正さ	10	9	8	7	6	5	4	3	2	1	不明
	C. 思いやり	10	9	8	7	6	5	4	3	2	1	不明
	D. 人権を守る	10	9	8	7	6	5	4	3	2	1	不明
	E. 論理的思考	10	9	8	7	6	5	4	3	2	1	不明
	F. まちがいを認めて改善できる	10	9	8	7	6	5	4	3	2	1	不明
	G. 国民の生活と福祉を向上させる	10	9	8	7	6	5	4	3	2	1	不明
	H. よけいな問題をふやさない	10	9	8	7	6	5	4	3	2	1	不明
	I. 他の政党・候補者よりまし	10	9	8	7	6	5	4	3	2	1	不明

J. 評価の根拠になる記録 No. を、今年の「政治の記録」1 ～ 65 からひとつ選ぶ →

はじめに

どう変えるか

政治の記録

おまけ学習

⑤ 総合評価

政治を分担できそうな人リスト

● 政治を分担することについて、適性がありそうな人や、ほかの人よりはましな人の情報

記入例	評価	政治を分担できそう ├──⊕──┼──┼──┼──┤ まだよくわからない
○○丁目の○○さん 高校の同級生	理由・ 記録 No.	○○災害の時に、○○さんの明るさ・トラブル解決力・冷静な判断・避難所を公正に仕切る力にみんなが助けられたから。
	弱点は？	あるだろうけど、わからない。ひとりで社会問題をすべて解決できる人はいないし、今いるやれる人でやっていくしかない。

❶

	評価	政治を分担できそう ├──┼──┼──┼──┤ まだよくわからない
	理由・ 記録 No.	
	弱点は？	

❷

	評価	政治を分担できそう ├──┼──┼──┼──┤ まだよくわからない
	理由・ 記録 No.	
	弱点は？	

❸

	評価	政治を分担できそう ├──┼──┼──┼──┤ まだよくわからない
	理由・ 記録 No.	
	弱点は？	

❹

	評価	政治を分担できそう ├──┼──┼──┼──┤ まだよくわからない
	理由・ 記録 No.	
	弱点は？	

❺

	評価	政治を分担できそう ├──┼──┼──┼──┤ まだよくわからない
	理由・ 記録 No.	
	弱点は？	

❻

	評価	政治を分担できそう ├──┼──┼──┼──┤ まだよくわからない
	理由・ 記録 No.	
	弱点は？	

上記以外の候補者

政治の分担はまだ無理な人リスト

● 政治を分担するのはまだ無理な人の情報

記入例		
○○○○議員 ○○党 ○○県○区（○○市）	評価	政治は分担できない ①├──┼──┼──┼──┤ まだよくわからない
	理由・ 記録No.	No 8、37、56、62 本人なりの事情はあるだろうが、これだけ虚偽答弁を続ける人が法律と予算の決定に関わるのはよくない。
	よい所も あるか？	政治的にはないけど、○○議員に向いていることを一緒に考えてくれる大人がいれば、本人も家族も今もっと幸せだったと思う。

①

評価	政治は分担できない ├──┼──┼──┼──┤ まだよくわからない
理由・ 記録No.	
よい所も あるか？	

②

評価	政治は分担できない ├──┼──┼──┼──┤ まだよくわからない
理由・ 記録No.	
よい所も あるか？	

③

評価	政治は分担できない ├──┼──┼──┼──┤ まだよくわからない
理由・ 記録No.	
よい所も あるか？	

④

評価	政治は分担できない ├──┼──┼──┼──┤ まだよくわからない
理由・ 記録No.	
よい所も あるか？	

⑤

評価	政治は分担できない ├──┼──┼──┼──┤ まだよくわからない
理由・ 記録No.	
よい所も あるか？	

⑥

評価	政治は分担できない ├──┼──┼──┼──┤ まだよくわからない
理由・ 記録No.	
よい所も あるか？	

上記以外の候補者

はじめに

どう変えるか

政治の記録

おまけ学習

⑤ 総合評価

● 信頼できる人と団体を、今の評価に近い位置へ記入する
（現役首長や議員にこだわらず、知人からも選ぶ）

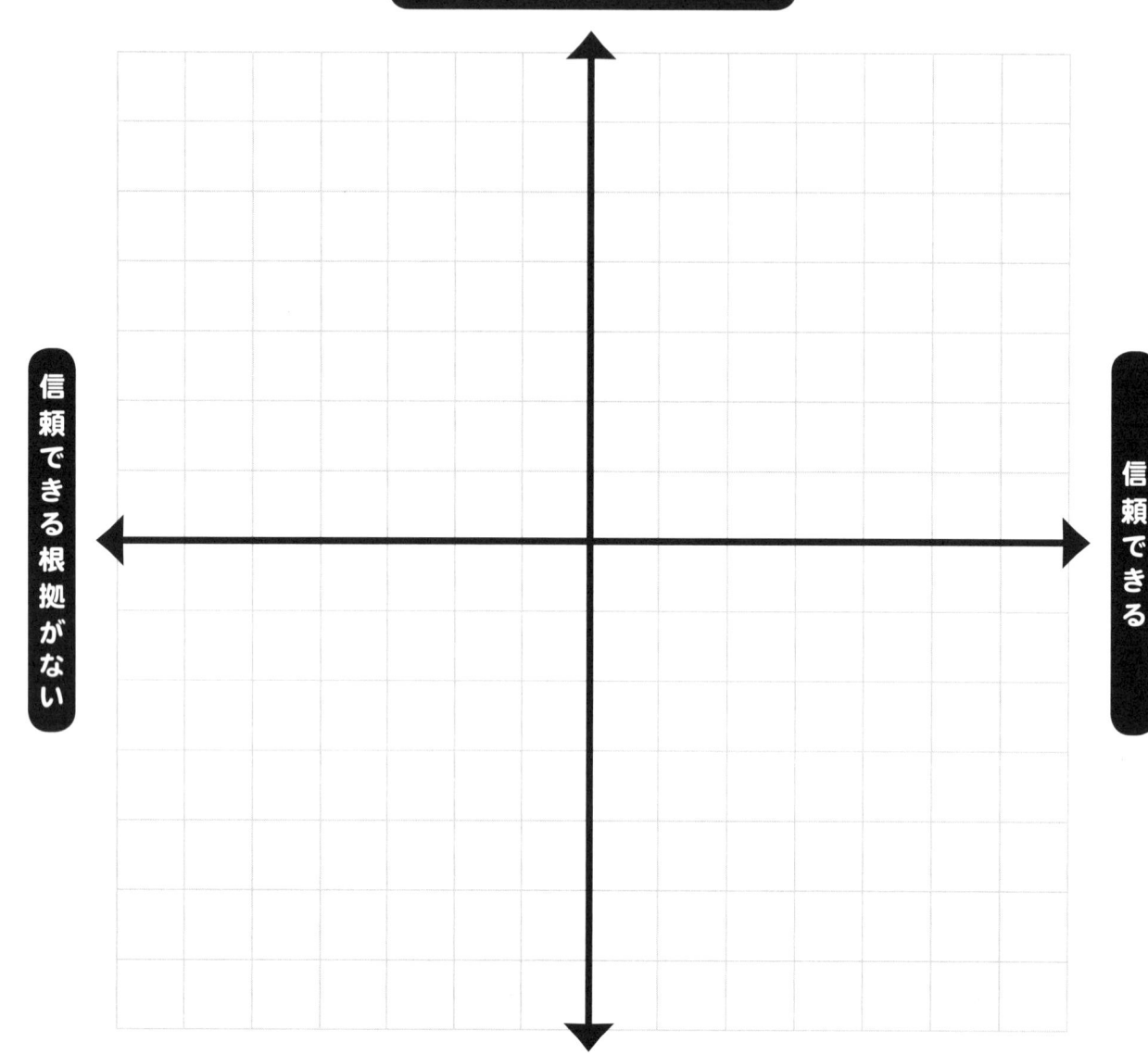

政治を分担できそう

信頼できる根拠がない

信頼できる

政治の分担はまだ無理

はじめに

どう変えるか

政治の記録

おまけ学習

⑤ 総合評価

048

記 入 者　_____

記入開始日　　　　　年　　　　月　　　　日
記入終了日　　　　　年　　　　月　　　　日

通算 NO.　_____

これまでに
記入した「政治の記録」　　累計　　　　　個

かていよう　きろく
家庭用　せんきょく記録

2021 年 11 月 20 日初版発行

制　作　せいかつきろく社
発　行　景文館書店　mail@keibunkan.com

発行責任者　荻野直人
表 紙 装 画　平澤南
印刷・製本　大日本印刷

●印刷した情報は発行日現在のものです　●このノートは、印刷色が特定政党のイメージカラーと同じにならないようにしています。そのために、予告なく印刷色を変更する場合があります　●ひとに記入を強要しないように使ってください

ISBN 978-4-907105-10-5　C0036
Printed in JAPAM